a liebre

y

la tortuga

Para
Hélène
P.P.

Para Alkmini Kouri
Bloom
B.B.

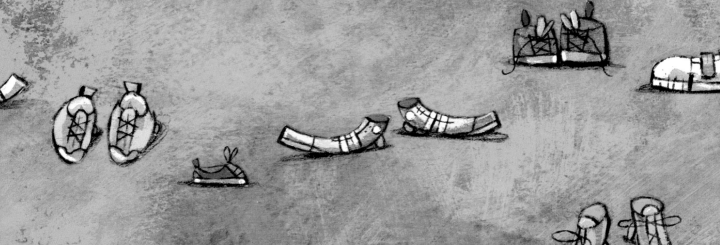

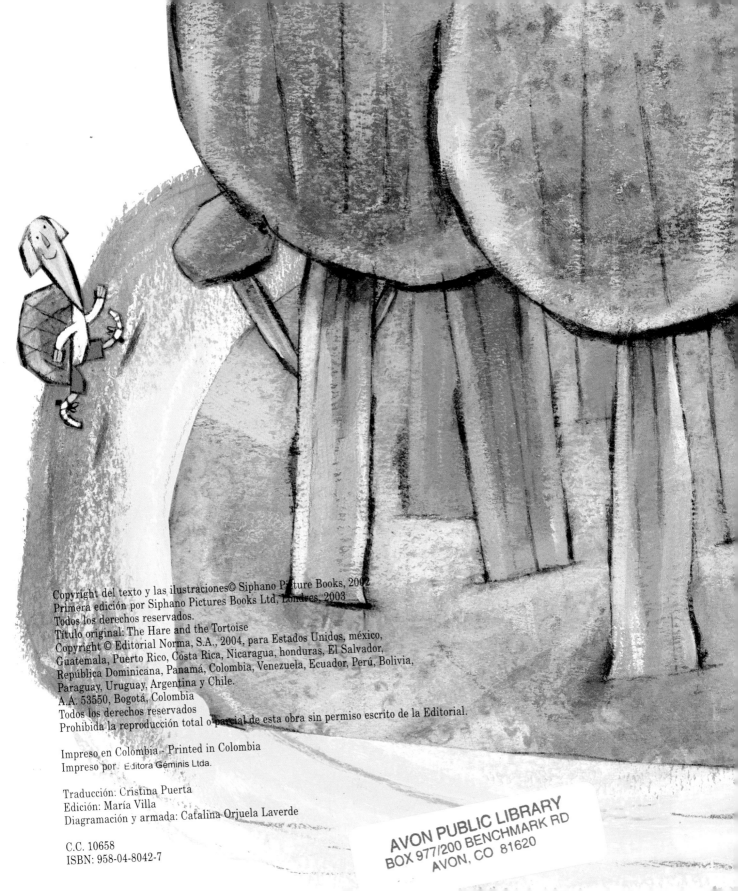

Impreso en Colombia - Printed in Colombia
Impreso por Editora Géminis Ltda.

Traducción: Cristina Puerta
Edición: María Villa
Diagramación y armada: Catalina Orjuela Laverde

C.C. 10658
ISBN: 958-04-8042-7

La liebre
y
la tortuga

Texto de Becky Bloom

Traducción de Cristina Puerta

Ilustración de Pawel Pawlak

El señor liebre vivía en el bosque junto con los otros animales. Pero en el bosque de la liebre los animales no se llevaban bien. En realidad, no podían dejar de discutir.

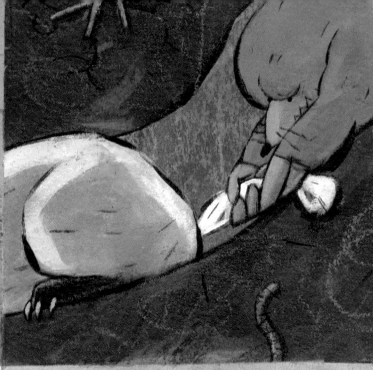

El señor castor y los patos siempre peleaban
r el dique del lago.

La señorita topo y el viejo señor tejón discutían
constantemente sobre los túneles que cavaban.

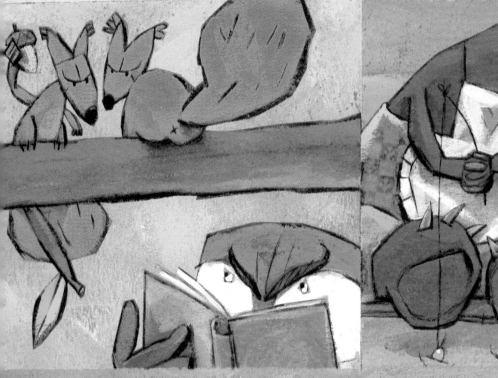

La señora búho reñía con las ardillas acerca de cada uno de los árboles del bosque, mientras que
la señora osa y las nutrias no podían ponerse de acuerdo acerca de quién podía pescar en los
mejores lugares del río.

Sólo el señor liebre se abstenía de discutir con los demás animales. Él era diferente. Él era un campeón del deporte:

¡El animal más veloz de todo el bosque!

Y la liebre vivía como un campeón. Cada mañana...

...se ejercitaba con cuidado...

...comía un desayuno pausado...

...leía las páginas deportivas del diario

En las tardes, se ponía sus medallas de campeón y daba un buen paseo.

...y tomaba una breve siesta.

Los otros animales siempre se quedaban impresionados y lo saludaban con respeto.

A decir verdad, el señor liebre nunca había ganado ninguna carrera. Pero nadie le preguntaba acerca de esto. Todos sabían que él era el animal más veloz del bosque. En cuanto a las medallas y trofeos, el señor liebre los había comprado en el mercado de las pulgas del pueblo. Y su colección seguía creciendo.

Un buen día, un nuevo animal llegó al bosque.

—¿Quién es?

—preguntaron las ardillas.

—Es la señorita tortuga —respondió la señora búho—. ¡Por fortuna, las tortugas no se suben a los árboles! —les dijo bruscamente a las ardillas.

—Pero las tortugas sí pueden nadar —dijeron los patos.

—¿En **nuestro** lago? —se preguntó el señor castor.

—Y las tortugas pueden cavar —señaló la señorita topo.

—¿En **nuestros** túneles? —se preguntó el viejo señor tejón.

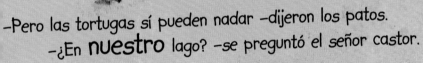

"**¡Qué tontos son todos!**", pensó el señor liebre. En lo que a él se refería, no tenía nada que temerle a una tortuga. Después de todo, él era el animal más veloz de todo el bosque.

las tortugas les gustan los peces? —preguntaron las nutrias.

—¡Por supuesto que no! —respondió la señora oso, ...sa. Se notaba que no tenía una buena opinión de ...nutrias—. ¡Las tortugas sólo comen frutas y ...uga!

Pronto los demás animales
se acostumbraron a la
tortuga.

Ella era amistosa, un animal de
buen carácter. Le compraba miel a
la señora osa, nueces a las
ardillas, y conversaba con la
señora búho acerca de los libros
que ambas leían en el momento.
Siempre tenía cuidado de
caminar en puntas de pie cuando
pasaba cerca de la señorita topo y
del viejo señor tejón.

Ellos tomaban siestas con
mucha frecuencia, siempre que
no estaban discutiendo entre sí.
Ocasionalmente, la señorita
tortuga nadaba en el lago, pero sólo
después de haber pedido permiso.
Los patos le dejaban usar su
tabla para hacer clavados
y, puesto que no querían
parecer demasiado
egoístas, le permitían
al señor castor
utilizarla también.

Nadie se preocupaba por la tortuga. Nadie.
Hasta el día en que ella compró un par de zapatos para correr y comenzó a trotar por el bosque.

–¿Qué significa esto? –preguntó la liebre al verla–.

¡Las tortugas no pueden correr! Yo soy el corredor en este lugar...

Y lo voy a probar ahora mismo.

El señor liebre se quitó sus medallas y empezó a correr.
Iba a pasar rozando a la señorita tortuga a toda velocidad,
para aclarar este asunto de una buena vez.

Pero, para su gran sorpresa,
¡no pudo alcanzarla!
"Debo tener un músculo
lesionado!", pensó, mientras se
sentaba para recuperar la
respiración. "No importa. ¡Ya
sabrá cómo son las cosas
mañana!".

A la mañana siguiente, la liebre tomó un baño caliente para relajar sus músculos...

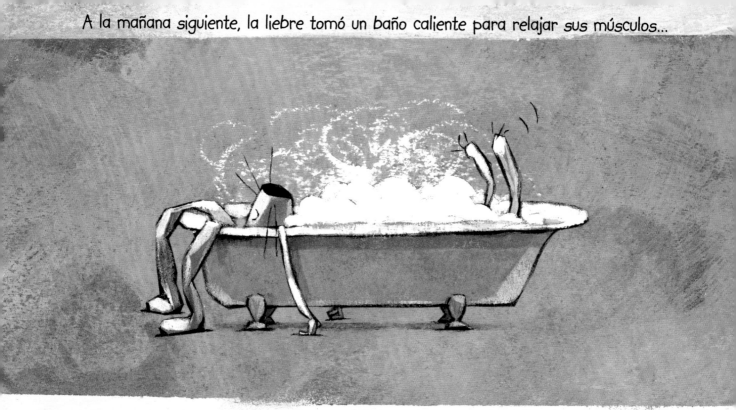

...E hizo unos buenos ejercicios de estiramiento.

Luego, esperó a
que la señorita
tortuga pasara
trotando frente a
su casa.

Ella no tardó mucho en
aparecer. Y, para sorpresa
del señor liebre, ¡el señor
castor estaba trotando
con ella!

–¡Increíble! –dijo la liebre–. Esta vez sí que se los
probaré. ¡Cuando vea lo veloz que soy, ese castor no se
atreverá a volver a salir del lago!

Tomó una buena bocanada de aire y se echó a correr tras ellos a toda velocidad. Pero pronto estuvo resoplando y jadeando para recobrar el aliento. No pudo alcanzar a ninguno de los dos.

Ahora sí que el señor liebre estaba enfadado.

"Debió ser aquella gran rebanada de torta de zanahoria que comí esta mañana", pensó.

A la mañana siguiente, la liebre se cuidó de comer apenas media lechuga en el desayuno. Y esperó con mucha impaciencia a que la señorita tortuga y el señor castor pasaràn trotando.

En efecto, ellos pasaron trotando, pero esta vez iban acompañados de los patos.
El señor liebre no podía creer lo que veía.

–¿Qué creen que están haciendo? –les preguntó, mientras se balanceaban ruidosamente de un lado a otro y lucían sus nuevos zapatos para correr.

–Nos estamos entrenando para convertirnos en atletas –respondieron los patos–. ¡Es muy divertido!

–Además –añadieron–, ahora que el señor castor se pasa el día entrenando, ya no tenemos con quien pelear.

¿Atletas?

El señor liebre estaba consternado. Tendría que mostrarles de una vez por todas quién era el campeón de todo el bosque. ¡Estaba completamente seguro de que podría vencer a un grupo de torpes patos, a un castor y, sobre todas las cosas, a una tortuga!

De modo que se echó a correr a
toda velocidad por el camino tras la
tortuga y su banda de corredores,
moviéndose tan rápido como pudo…

...Pero de nada sirvió. Una vez más, se dio por vencido antes de acercarse siquiera a los otros animales.

"Tal vez necesite un nuevo par de zapatos para correr", pensó.

A la mañana siguiente, se dirigió al pueblo y cambió algunas de sus medallas por un nuevo par de zapatos.

También decidió ejercitarse como era debido, de la manera en que lo hacen los verdaderos atletas.

Todos los días corría hasta el otro extremo del bosque...

...donde **nadie** pudiera verlo....

...Y entrenaba y entrenaba...

...desde el amanecer...

...hasta que el sol caía en la tarde...

Pero los otros animales también entrenaban. La señora oso, las nutrias, la señorita topo y el tejón se habían unido a las clases de atletismo de la señorita tortuga.

Y ahora que todos practicaban un deporte, habían dejado de discutir.

La señora oso dejó de discutir con las nutrias acerca de los peces del lago.

La señorita topo y el viejo señor tejón (quien dormía menos gracias al ejercicio) dejaron de reñir acerca de sus túneles.

Las ardillas ya no le ponían atención a la señora búho. Ahora sólo se trepaban a los árboles para recoger nueces cuando tenían hambre.

La señora búho era la única que no había empezado a correr, aunque leía mucho sobre el tema y le ayudaba a la tortuga a dirigir los entrenamientos.

Entonces, un día, la señora búho tuvo una idea.

¡Organizaría una carrera!

Planeó cuidadosamente todos los detalles. Incluso encontró una brillante medalla para el vencedor.

Todos los animales estuvieron de acuerdo en participar. ¡Qué maravillosa idea!

Pero este era el momento que el señor liebre temía.
Él también tendría que correr en la carrera.

Y más que eso: ¡Tendría que **ganar!**

El día de la carrera por fin llegó y todos estaban emocionados. La señorita tortuga los había hecho trabajar muy duro, y la competencia estaba reñida.

Y fue reñida. Muy reñida, sin duda alguna. ¡Todos los animales corrieron espléndidamente! Pero el señor liebre, que había estado entrenando en secreto durante todo ese tiempo, fue quien mejor corrió. ¡Y fue el primero en cruzar la meta!

¡El señor liebre **ganó!**

Las ardillas llegaron en segundo lugar y el señor castor fue el tercero. La señorita tortuga fue la penúltima. En último lugar llegaron los patos, pero todos estuvieron de acuerdo en que lo habían hecho muy bien.

Después de todo, eran pájaros.

Hubo ovaciones y abrazos. El señor liebre fue condecorado con la medalla y todos los demás ganadores recibieron unas coronas de laurel, que la señora búho había tejido con mucho esfuerzo. Y hubo jugo de frambuesa para todos.

De repente, el señor liebre tuvo una idea. Se quitó su medalla del cuello (la única verdadera medalla que había ganado en toda su vida) y se la dio a la señorita tortuga.

—Para la señorita tortuga, quien trajo la paz a este bosque —anunció.

—¡Qué considerado! —exclamó la señora búho.

—¡Qué encantador! —dijo la señora oso.

Todos aplaudieron. Al viejo señor tejón incluso se le escapó una lágrima.

La señorita tortuga se sonrojó. ¡Qué honor ser condecorada con una medalla por el animal más veloz de todo el bosque!